JE DÉCOUVRE . . .

LE MONDE MERVEILLEUX DES ANIMAUX

LE COUGAR

Katherine Grier

CHEF DE LA PUBLICATION		Joseph R. DeVarennes
DIRECTEUR DE LA PUBLICATION		Kenneth H. Pearson
CONSEILLERS	Roger Aubin Gilles Bertrand	Jean-Pierre Durocher Gaston Lavoie
RÉDACTRICES EN CHEF		Anne Minguet-Patocka Valerie Wyatt
CONSEILLERS POUR LA SÉRIE		Michael Singleton Merebeth Switzer
RÉDACTION	Sophie Arthaud Charles Asselin Marie-Renée Cornu Michel Edery	Catherine Gautry Ysolde Nott Geoffroy Menet Mo Meziti
SERVICE ADMINISTRATIF	Kathy Kishimoto Monique Lemonnier	Alia Smyth William Waddell
COORDINATRICE DU SERVICE DE RÉDACTION		Jocelyn Smyth
CHEF DE LA PRODUCTION		Ernest Homewood
RECHERCHE PHOTOGRAPHIQUE		Don Markle Bill Ivy
ARTISTES	Marianne Collins Pat Ivy	Greg Ruhl Mary Théberge

Ouvrage pour la jeunesse recommandé par le
Cercle des Jeunes Naturalistes du Québec.

Données de catalogage avant publication (Canada)

Switzer, Merebeth.
Les aigles / Merebeth Switzer. Le couguar / Katherine Grier.—

(Je découvre—le monde merveilleux des animaux)
Traduction de: Eagles. Couguars.
Comprend des index.
ISBN 0-7172-1988-7 (aigles) — ISBN 0-7172-1989-5 (cougars).

1. Aigles—Ouvrages pour la jeunesse. 2. Pumas—Ouvrages pour la jeunesse. I. Grier, Katherine. Le couguar. II. Titre. III. Titre: Le couguar. IV. Collection.

QL696/F32S9714 1986 j598'.916 C85-090835-3

Dépôt légal, 1er trimestre 1986
Bibliothèque nationale du Québec

Savez-vous . . .

Chut! Un couguar arrive! À pas feutrés, il se faufile lentement dans la forêt sombre et touffue. Soudain, il s'arrête et lance un feulement terrifiant qui ressemble à un cri humain. Puis, aussi rapide que l'éclair, il disparaît dans la nuit.

Faut-il s'étonner alors qu'on ait surnommé le couguar « diable de montagne » et « gros chat sournois ». Mais vous serez peut-être surpris d'apprendre qu'on l'a appelé aussi le « seigneur des forêts » et le « plus noble des animaux sauvages ». On dirait presque que les gens qui lui ont donné ces noms parlaient de deux animaux différents.

Alors, où est la vérité? Le couguar est-il sournoi ou est-ce l'un des animaux les plus nobles de la nature? Le seul moyen de résoudre ce mystère, c'est d'explorer les faits.

Puma, panthère, chat sauvage, lion de montagne—tous ces noms désignent, ou ont désigné autrefois, un même animal: le couguar.

Des petites boules de fourrure

Dès que ses petits sont nés, la mère couguar les prend tendrement l'un après l'autre dans son énorme patte et les lèche pour les nettoyer et les sécher. Ensuite, les petits se blottissent contre le ventre doux et chaud de leur mère et tètent goulûment son lait. Une fois rassasiés, ils s'endorment, nichés dans sa fourrure, serrés les uns contre les autres pour se tenir chaud.

Bien vite, les petits passent de moins en moins de temps à dormir et de plus en plus à gambader ou à s'amuser à se battre. Tout cela est follement divertissant, mais ces jeux ont une fin utile: les petits apprennent ainsi à se faire les muscles et à sauter sur quelque chose pour l'attraper. Toutes ces leçons leur seront précieuses par la suite dans leur vie d'adulte.

Joueur comme un chaton.

Une grande famille

Les bébés couguars et leur mère forment une petite famille. Mais tous les couguars appartiennent à une grande famille d'animaux qu'on retrouve dans le monde entier, celle des félins. Bien que le couguar ne soit pas petit de taille, les zoologistes le classe dans la catégorie des « petits félins ». Pourquoi? Tout simplement parce que le couguar ne peut pas rugir. Il ne peut que ronronner et miauler. Les « grands félins », comme le lion, le tigre et le jaguar, ne peuvent pas miauler, mais ils peuvent pousser de terribles rugissements! Et puis, il y a les guépards, qui forment à eux seuls une branche de la famille des félins. Ce sont les seuls chats qui ne puissent pas rétracter leurs griffes.

En Amérique du Nord et en Amérique du Sud, les cousins les plus proches du couguar sont de petits félins: le lynx du Canada ou le loup-cervier, le lynx roux et... le chat domestique! Vous vous demandez peut-être: « Mais alors, et le lion de montagne? Et le puma? » Ne vous laissez pas prendre au piège! Souvenez-vous: ces deux noms-là désignent le couguar.

Page ci-contre:

Généralement, le couguar fait sa tanière dans une petite caverne ou dans une crevasse rocheuse.

Au pays des couguars

Autrefois, les couguars vivaient un peu partout en Amérique du Nord, aussi bien dans les forêts que dans les prairies, les plaines et les montagnes. Comment faisaient-ils pour habiter dans des régions aussi différentes les unes des autres? Tout simplement à cause de leurs besoins simples. Tout ce qu'il leur faut, c'est de la nourriture, un couvert pour la chasse et un abri pour se protéger du froid.

De nos jours, en Amérique du Nord, la plupart des couguars vivent dans les montagnes de l'Ouest car à mesure que les terres furent exploitées, le territoire du couguar se rétrécit.

Régions d'Amérique du Nord où l'on rencontre des couguars.

La toilette.

Un seul à la fois.!

De nos jours, le territoire d'un couguar est une étendue assez vaste en montagne. Le couguar habite un domaine généralement assez grand (comparé à celui de la plupart des animaux) de sorte qu'il y trouve suffisamment de nourriture.

Une fois qu'un couguar a établi son propre territoire, il le défend soigneusement et le marque de signes appelés « grattages » pour prévenir les autres couguars que c'est son domaine. Ces grattages prennent la forme de monticules de feuilles, de broussailles et d'herbes qu'il imprègne d'urine et d'excréments, ou de griffures qu'il fait ici et là sur l'écorce des arbres et qu'il imprégne aussi d'urine. Quand d'autres couguars voient ou sentent ces monticules ou ces griffures, ils préfèrent généralement passer au large plutôt que de risquer une confrontation.

Le couguar se sert de ses griffes pour marquer: « Attention, propriété privée. »

Un animal grand et puissant

Le couguar est l'un des plus grands chats d'Amérique du Nord et d'Amérique du Sud. Seul le jaguar le surpasse en taille. Sans la queue, une femelle moyenne mesure environ 1,5 mètre; elle pèse à peu près 40 kilogrammes. Le mâle est presque deux fois plus gros.

Avec ses membres élancés et musclés, le couguar est fait pour bondir. Comme ses membres postérieurs sont légèrement plus longs que ses membres antérieurs, on dirait toujours qu'il descend une pente, même lorsqu'il n'en fait rien. Vous avez probablement déjà observé un chat domestique en train de sauter et vous avez alors constaté qu'une grande partie de sa force lui vient de ses membres postérieurs. Un chat se ramasse sur ses pattes arrière, puis bondit vers l'avant. Comme le couguar a les pattes arrière longues et puissantes, il peut franchir jusqu'à sept mètres en un seul bond.

Le couguar se sert de sa queue épaisse et touffue comme d'un gouvernail pour garder son équilibre lorsqu'il bondit.

Page ci-contre:

Chez les carnivores, seul l'ours est plus grand que le couguar en Amérique du Nord.

À l'affût d'un repas

On pourrait croire qu'un animal aussi puissant que le couguar est un excellent coureur. Mais pas du tout! Le couguar peut courir vite, mais sur une très courte distance seulement.

Comment un animal aussi grand que le couguar peut-il éviter d'être vu lorsqu'il s'approche de sa proie? Sa couleur fauve l'aide à se fondre au paysage et le rend difficile à apercevoir.

En regardant de près, on constate que la fourrure du couguar n'est pas d'une seule et même couleur. Juste au-dessous du nez, l'animal a des taches blanches et noires qui ressemblent un peu à des papillons posés sur sa grosse lèvre supérieure. Le revers de l'oreille et le bout de sa queue sont noirs aussi.

Quand un cougar veut faire savoir ce qu'il pense à un autre animal, il aplatit les oreilles et remue de la queue. Les taches noires font alors nettement remarquer ces mouvements. Mais si un couguar veut échapper aux regards indiscrets, il s'immobilise longuement; ses taches noires l'aident alors à se fondre aux ombres naturelles qui l'entourent.

Page ci-contre:

Aux aguets.

L'empreinte des pattes avant et arrière d'un couguar se ressemblent beaucoup car le pouce des pattes avant, placé plus haut que les autres doigts, ne touche pas le sol quand l'animal marche.

Patte avant

Patte arrière

Pattes de velours, griffes d'acier

S'il n'avait pas l'extrémité des pattes aussi large et aussi souple, le couguar ne pourrait pas se déplacer aussi silencieusement et régulièrement sur son territoire. Chaque patte avant est munie de quatre orteils et d'un pouce, tandis que chaque patte arrière compte quatre orteils. Un coussinet de peau épaisse couvre le dessous de chaque orteil et la partie centrale du dessous de la patte, amortissant ainsi le bruit des pas de l'animal. Si le terrain est rude, le couguar écarte largement ses orteils pour mieux y avoir prise.

Sur chaque orteil se trouve une petite poche où est logée une griffe acérée et recourbée, aussi longue que votre gros orteil. Quand le couguar veut se glisser sans bruit sur le sol, il rétracte ses griffes dans leurs poches. Dès qu'il veut grimper à un arbre ou saisir une proie, il sort ses griffes et les enfonce dans l'écorce de l'arbre ou dans le corps de l'animal.

Tout en haut d'un arbre, le couguar a une cachette idéale pour guetter sa proie.

Une vue perçante

Comme tous les animaux qui chassent, le couguar doit voir sa proie avant que celle-ci le découvre et il le peut grâce à son regard perçant. Il peut d'ailleurs remarquer un animal de très loin. Mais encore faut-il qu'il sache évaluer la longueur de son saut car il bondit de loin sur sa proie. Une fois de plus, cela ne lui est pas trop difficile car ses yeux sont placés à l'avant de la tête, ce qui l'aide à bien déterminer les distances.

Le cerfs, principales proies des couguars, ont eux aussi une vue excellente. Mais ils ne peuvent pas juger aussi bien des distances car ils ont les yeux placés davantage sur les côtés. Ceci leur est très utile, de même qu'aux autres animaux chassés par des prédateurs, car ils peuvent voir l'ennemi s'approcher furtivement par derrière. Rien d'étonnant alors que le couguar doive avancer à pas de velours!

Comme beaucoup d'animaux, le couguar est daltonien. Il ne voit qu'en tons de noir, de blanc et de gris. Par contre, il a une très bonne vision de nuit, ce qui fait de lui un excellent chasseur nocturne.

Page ci-contre:

Lorsqu'un couguar ne parvient pas à attraper de proie la nuit, il continue sa chasse pendant la journée.

Du cerf au menu

Bien que le couguar se nourrisse surtout de cerfs, il chasse aussi d'autres animaux, orignaux, chèvres de montagne, coyotes, oursons, porcs-épics, lapins, oiseaux et souris pour n'en citer que quelques-uns. Un zoologiste raconte même qu'il a vu un couguar faire un festin de sauterelles!

Idéalement, un couguar a besoin de quatre kilogrammes de viande par jour, soit de quoi faire 36 hamburgers! Cela revient à un cerf tous les sept à dix jours.

Faut-il se lamenter sur le sort des proies du couguar? En fait, notre chasseur joue un rôle très utile. En hiver, notamment, il est difficile à une harde de cerfs de trouver assez de plantes, d'herbes et de brindilles. Le couguar tue les bêtes âgées, chétives ou maladives, ce qui laisse plus de nourriture aux bêtes fortes et saines. Si le couguar ne s'attaquait pas aux plus faibles, le troupeau tout entier souffrirait de la faim et beaucoup pourraient en mourir.

À la chasse, le couguar se fie davantage à sa vue qu'à son odorat.

Que la fête commence!

Quand le couguar a attrapé une proie, il aime généralement la manger dans un endroit tranquille. Souvent, il la traîne jusqu'à un lieu qu'il aime particulièrement. Il lui arrive aussi de la hisser sur une branche d'arbre.

Le couguar est bien équipé pour dévorer sa proie. Il a des dents tranchantes pour la couper en morceaux assez petits. Ceci est important car il ne mâche pas sa nourriture. Et pour ne pas perdre la plus petite bouchée, il lèche les os avec sa langue couverte de minuscules crochets. Rien ne se perd.

Le couguar ne peut manger tout un cerf en une seule fois. Une fois repu, il couvre les restes de branches et de pierres. Si la nourriture fraîche est rare, il revient à plusieurs reprises pour faire d'autres repas. Mais si la chasse est facile, il abandonne sa proie.

Dans une région sèche, une flaque d'eau est la bienvenue pour apaiser la soif.

La venue de l'hiver

Contrairement à certains animaux, le couguar ne fait pas de préparatifs spéciaux pour l'hiver. À l'inverse des tamias, il n'amasse aucunes provisions et contrairement aux marmottes, il ne se gorge pas de nourriture pour hiverner. Après tout, sa proie principale, le cerf, reste dehors pendant toute la froide saison. Toutefois, le manteau du couguar devient plus long et plus fourni, de sorte à lui tenir plus chaud durant la chasse.

En réalité, le manteau du couguar a deux épaisseurs. La première, placée tout contre son corps, est faite d'un fourrure douce et drue qui garde la chaleur tout en empêchant le froid de pénétrer. La seconde se compose de longs poils protecteurs ou jarres, sur lesquels glissent la neige et la pluie.

Le couguar ne perd pas son manteau d'un seul coup, comme le font certains animaux. Tout au long de l'année, certains de ses poils tombent et repoussent. En hiver, son pelage est particulièrement bien fourni.

Page ci-contre:

Pour trouver de quoi se nourrir, un couguar peut parcourir jusqu'à 40 kilomètres par jour.

De bons jours et de mauvais jours

Quand l'hiver est dur pour le cerf, il l'est aussi pour le couguar. S'il n'arrive pas à trouver suffisamment de cerfs, le couguar doit se contenter de plus petits animaux pour subsister. Mais ceux-ci sont tout aussi difficiles à attraper, et il en faut beaucoup plus pour satisfaire sa faim. Quand la couche de neige sur le sol s'épaissit, la chasse se fait malaisée car le couguar s'y enfonce sous son poids. Heureusement, un couguar n'a pas besoin de manger tous les jours et peut jeûner, s'il y est obligé, pendant plusieurs jours.

Le couguar n'a pas que des mauvais jours: parfois, les proies sont faciles à trouver. Une fois rassasié, après la chasse, le couguar n'a plus qu'à faire sa toilette et à se reposer. Il lèche soigneusement tout son pelage et se fait les griffes. Puis il va s'étendre sur l'un de ses rochers préférés, ou s'allonge paresseusement sur la branche d'un arbre. Là, il passe toute la journée à somnoler, à se prélasser au soleil ou tout simplement à contempler ce qui se passe autour de lui.

Au verso:

La saison des amours, qui dure deux semaines, est la seule époque où l'on peut voir ensemble deux couguars adultes.

Page ci-contre:

Le couguar a une très longue queue, ce qui le distingue des autres chats sauvages d'Amérique du Nord.

La saison des amours

Les couguars peuvent s'accoupler à n'importe quelle époque de l'année, mais le plus souvent ils le font au début de l'hiver. La femelle quitte alors son territoire et part à la recherche d'un compagnon. À mesure qu'elle s'enfonce en territoire inconnu, elle lance des appels. Parfois, elle miaule comme un chat domestique, mais plus fort bien sûr. Parfois aussi, elle lance des cris perçants qui s'entendent de très loin.

Un mâle finit par l'entendre ou par sentir son odeur. Alors, il va à sa rencontre. Si un autre couguar suit la femelle, il arrive que les deux mâles se battent pour décider lequel d'entre eux s'accouplera avec elle.

Le mâle et la femelle ne restent ensemble que pendant deux semaines environ. Peu de temps après l'accouplement, la femelle repart vers son territoire.

Se préparant à la venue de ses petits, elle cherche une tanière. Elle choisit un enchevêtrement de racines ou une caverne rocheuse, où les nouveau-nés seront à l'abri des ennemis et des intempéries.

Accaparée par ses petits

Trois mois après l'accouplement, les petits naissent. Généralement, une portée compte de deux à quatre nouveau-nés. Les petits sont complètement désarmés devant la vie: ils ont les yeux clos et peuvent à peine ramper sur le sol. Heureusement, la mère couguar est là pour s'occuper d'eux. Elle veille amoureusement sur chacun d'eux, les lèche de sa grosse langue rugueuse pour les nettoyer puis les laisse se blottir tout contre son ventre chaud.

Les petits ne ressemblent guère à leurs parents. On pourrait même se demander s'ils font partie de la même famille. D'abord, ils sont minuscules: du museau à la queue, ils ne sont pas plus grand que votre bras. Et ils ne pèsent pas plus lourd que deux grosses bananes.

Mais ce n'est pas la seule différence. Lorsqu'ils s'ouvrent, les yeux des petits sont bleus, tandis que ceux de leurs parents sont dorés. Leur queue est toute courte, alors que celle de leurs parents est longue. Leur pelage brun-jaune est couvert de taches sombres, mais celui de leurs parents est de couleur unie.

Page ci-contre:

Les taches du pelage de ces petits couguars disparaîtront lorsqu'ils auront six mois environ.

Un mère tendre

Nourris du bon lait de leur mère, le petits grandissent rapidement. Deux semaines après leur naissance, ils ouvrent les yeux. Bientôt, les voilà qui marchent et font des culbutes. Leur mère commence à leur apporter une partie de ses prises. Dans quelque temps, le petits ne mangeront plus que de la viande.

La mère couguar passe la plus grande partie de son temps auprès de ses petits. Elle ronronne, heureuse de les voir manger et s'amuser. Toutefois, si leurs galipettes et leurs luttes se font trop violentes, elle les sépare en les attrapant par la peau de cou.

Chez les carnivores comme l'ours et même le couguar—les mâles s'attaquent aux petits s'ils en ont l'occasion. Avant de laisser sa progéniture quitter la tanière, la mère inspecte les lieux pour voir si aucun ennemi ne se cache. Elle scrute les alentours, hume l'air puis appelle tout doucement ses petits si le terrain est libre. En cas de danger, elle leur envoie un signal leur disant: « Mettez-vous à l'abri! »

Règles de base

Comme tous les enfants, les jeunes couguars doivent apprendre à se débrouiller tout seuls. Il est essentiel qu'ils se tiennent propres et pour cela, il leur faut des griffes bien aiguisées.

Les couguars se lavent, comme le font les chats domestiques. Ils lèchent leur fourrure avec leur longue langue rugueuse pour enlever toute poussière ou saletés qui s'y seraient collées. Ils se nettoient la face ou les oreilles avec leurs pattes avant, après les avoir soigneusement léchées.

Que fait un couguar lorsque ses griffes sont émoussées? Il les aiguise, bien entendu. Lorsque vos ongles sont trop longs, vous les coupez. Les griffes d'un couguar poussent par couches, un peu comme un oignon. Lorsque la couche extérieure s'émousse, le couguar s'en débarrasse en se faisant les griffes, comme le fait un chat quand il griffe l'écorce d'un arbre, ou un meuble!

Les couguars s'assurent toujours que leurs longues griffes recourbées soient bien aiguisées.

Ce jeune couguar vient d'apprendre qu'il ne faut pas être bien malin pour traquer une tortue du désert.

Apprendre les ficelles du métier

L'une des premières leçons que doivent apprendre les petits couguars pour survivre est de se déplacer sans bruit. Lorsqu'ils font leurs premiers pas, ils trébuchent maladroitement sur leurs grosses pattes. Mais le temps et l'entraînement aidant, ils acquièrent l'agilité et la force d'un acrobate et ils apprennent à se glisser aussi silencieusement qu'une ombre. Ils peuvent trotter pendant des heures dans les bois, sans faire le moindre bruit. Ils savent grimper adroitement aux arbres et se faufiler aisément parmi les branches. D'un saut, ils peuvent bondir du sol jusque dans un arbre ou franchir un ruisseau. Ils peuvent même nager avec beaucoup de facilité s'ils ont à le faire.

De toute évidence, ce bébé couguar est fier de ses prouesses.

Les exercises de chasse

Lorsqu'ils sont bébés, les couguars ne savent pas chasser. Quand ils commencent à se tenir sur leurs pattes, ils ne font que jouer. Ils essaient de mordiller la queue de leur mère, bondissent sur des feuilles qui bougent, sautent les uns sur les autres.

Progressivement, leur mère leur apprend à se débrouiller dans la vie. Lorsqu'elle revient de la chasse avec une proie, elle leur montre comment attaquer un animal avant de les laisser commencer à manger. Dès qu'ils sont assez grands pour quitter la tanière, elle leur apprend à traquer un lapin et à attraper un porc-épic sans se retrouver avec la patte pleine de piquants.

Lorsqu'ils sont adolescents, elle les emmène à la chasse au cerf. Ils apprennent à attraper des animaux plus gros qu'eux, à choisir des bêtes faibles qui ne se défendront pas à coups de sabots tranchants, et à ne pas se décourager en cas d'échec.

Ensuite, c'est une question d'entraînement. Et il en faut beaucoup pour devenir un bon chasseur!

Page ci-contre:

Les couguars sont des as de l'escalade—tant en montagne que dans les arbres.

La vie continue

Quand les jeunes couguars ont environ deux ans, le caractère de la mère change brusquement. Elle ne partage plus ses prises avec eux et quand ils veulent jouer, elle s'emporte et les repousse d'un coup de patte. Le temps est venu pour elle de fonder une nouvelle famille et c'est sa manière de faire savoir aux jeunes couguars qu'ils devront bientôt la quitter.

Ils sont prêts à le faire. Ils sont presque aussi grands que leur mère; ils sont forts, agiles et silencieux.

Chacun des jeunes couguars part donc à la recherche d'un territoire. Bien sûr, ils ne peuvent pas s'installer n'importe où. Ils doivent trouver un endroit où ne vit aucun autre couguar, ou un domaine occupé par un couguar si vieux et si faible qu'ils pourront facilement l'en déloger.

Une fois installé sur son territoire, le jeune couguar vit et chasse seul. Un jour, il s'accouplera et des petits naîtront. À leur tour, ces petits se feront progressivement une place dans le monde. Ainsi se perpétue l'espèce.

Glossaire

Accoupler (s') S'unir pour avoir des petits.

Grattages Amas de feuilles imprégnées d'urine et excréments, utilisés pour marquer les frontières d'un territoire.

Jarres Longs poils grossiers qui forment l'épaisseur extérieure du manteau d'un couguar.

Portée Ensemble des petits qui naissent en même temps d'une même femelle.

Prédateur Animal qui chasse d'autres animaux pour s'en nourrir.

Progéniture Ensemble des petits d'un animal.

Proie Animal que d'autres animaux chassent pour s'en nourrir.

Repaire Lieu abrité où vit un animal.

Territoire Zone où vit un animal, ou un groupe d'animaux, et dont il défend souvent l'entrée aux animaux de même espèce.

Téter Boire le lait de sa mère.

Zoologiste Scientifique qui étudie les animaux.

INDEX

Couverture: Stephen J. Krasemann (Valan Photos)
Crédit des photographies: Tim Fitzharris (First Light Associated Photographers), page 4; Stephen J. Krasemann (Valan Photos), 7, 8, 11, 12, 20, 22, 25, 26, 33, 34, 37, 38, 41, 44; Tom W. Hall (Miller Services), 15, 16, 43; Halle Flygare (Valan Photos), 19, 28; Gerhard Kahrmann (Valan Photos), 30-31; Thomas Kitchin (Valan Photos), 46.

Imprimé en Espag

JE DÉCOUVRE . . .

LE MONDE MERVEILLEUX DES ANIMAUX

LES AIGLES

Merebeth Switzer

Grolier Limitée
MONTRÉAL

Ouvrage pour la jeunesse recommandé par le
Cercle des Jeunes Naturalistes du Québec.

Données de catalogage avant publication (Canada)

Switzer, Merebeth.
Les aigles / Merebeth Switzer. Le couguar / Katherine Grier.—

(Je découvre—le monde merveilleux des animaux)
Traduction de: Eagles. Couguars.
Comprend des index.
ISBN 0-7172-1988-7 (aigles) — ISBN 0-7172-1989-5 (cougars).

1. Aigles—Ouvrages pour la jeunesse. 2. Pumas—Ouvrages pour la jeunesse. I. Grier, Katherine. Le couguar. II. Titre. III. Titre: Le couguar. IV. Collection.

QL696/F32S9714 1986 j598'.916 C85-090835-3

Dépôt légal, 1er trimestre 1986
Bibliothèque nationale du Québec

Savez-vous . . .

On dit généralement de l'aigle que c'est le roi des oiseaux. Pas étonnant, puisque c'est un des oiseaux les plus gros et les plus puissants du monde.

De tout temps l'homme a associé l'aigle à la notion de puissance et de dignité. Ce ne sont pas les exemples qui manquent. Les dieux grecs, paraît-il, se transformaient en aigles pour visiter la Terre. Les tsars et les empereurs romains, autrichiens et français utilisaient l'aigle comme emblème de la puissance de leur empire. Les premiers habitants d'Amérique du Nord conservaient précieusement des plumes d'aigles qui, pour eux, étaient symboles de force. Et puis le pygargue à tête blanche est l'oiseau national des États-Unis.

Mais comme c'est souvent le cas avec les animaux puissants, l'aigle a occasionné, chez l'homme, un sentiment de peur autant que d'admiration. Alors, que penser de l'aigle? Est-ce un chasseur féroce? Ou plutôt un oiseau, beau et majestueux, qui a un rôle à jouer dans la nature?

Page ci-contre:

Le pygargue à tête blanche est probablement l'oiseau le plus admiré d'Amérique du Nord.

Les premiers coups d'ailes

Du bord de son nid, le jeune aigle aux mouvements maladroits observe ce qui se passe. Sa mère, dont le plumage luit au soleil matinal, attend non loin de là. Ses parents ont dû constamment s'occuper de lui pendant de longues semaines, mais aujourd'hui il est temps qu'il apprenne à se débrouiller tout seul.

Apprendre à voler, c'est un peu comme apprendre à marcher. On n'y arrive pas du premier coup. Il faut essayer, essayer encore, et tant pis pour les bosses et les faux atterrissages! Alors que le jeune aigle se tient nerveusement perché sur son nid, sa mère l'encourage de la voix en poussant des cris aigus. Elle tient de la viande dans ses griffes. Le jeune oiseau a un appétit féroce et il la voudrait bien, cette viande. Seulement voilà, sa mère ne bouge pas d'un pouce. S'il veut manger, il doit voler jusqu'à elle.

Il saute timidement, toutes ailes déployées, jusqu'au rebord du nid. Et d'une culbute maladroite il s'élance dans le vide. Ça y est, il vole!

Des aigles partout

On trouve des aigles sur tous les continents, sauf dans l'Antarctique. Certains vivent dans des zones désertiques, d'autres dans la brousse ou les contrées marécageuses, d'autres encore dans les hautes montagnes, sur les rives des lacs et des océans, ou dans les forêts.

Il existe 59 espèces d'aigles dans le monde mais on n'en rencontre que deux en Amérique du Nord: le pygargue à tête blanche (aussi appelé aigle à tête blanche) et l'aigle royal.

L'aigle royal se trouve en Europe, en Asie et en Amérique du Nord. Il vit surtout dans les régions montagneuses de l'Ouest.

Les cousins de l'aigle

Le gros bec crochu de l'aigle est une des caractéristiques des oiseaux de proie.

Tout comme la buse sa proche cousine, l'aigle est un « oiseau de proie ». Le vautour, le hibou et le condor sont également des oiseaux de proie. Ce sont des rapaces, ou oiseaux carnivores, qui chassent d'autres animaux pour se nourrir.

Quelles sont les caractéristiques communes des oiseaux de proie? Comme tous les oiseaux qui volent, ils ont un corps couvert de plumes, des os creux, et ils se reproduisent en pondant des œufs. Mais ils ont également en commun plusieurs traits particuliers qui leur sont utiles pour chasser.

Ils ont un bec puissant et crochu qui leur sert à déchirer la viande. Faites pour saisir, leurs pattes sont pourvues de griffes acérées appelées serres. Et ils ont tous de grandes ailes mues par des muscles puissants qui leur permettent d'attraper leurs proies en plein vol et de les emporter avec eux.

Lorsqu'il fait sa toilette, le pygargue à tête blanche a environ 7 000 plumes à lisser. Bon courage!

Aigle ou buse?

L'aigle et la buse ont à peu près la même forme. De loin il est donc facile de les confondre. Mais placés côte à côte, il n'y a pas moyen de se tromper.

Les aigles d'Amérique du Nord sont au moins deux fois plus gros que les plus grandes buses. L'aigle a un corps de 75 à 100 centimètres de long et une envergure de 180 à 230 centimètres.

Autre différence: la grosseur du bec. Si on observe bien le profil d'un aigle, on voit que son bec est presque aussi long que sa tête. Le bec de la buse est gros, certes, mais pas aussi gros que celui de l'aigle!

Buse à queue rouge

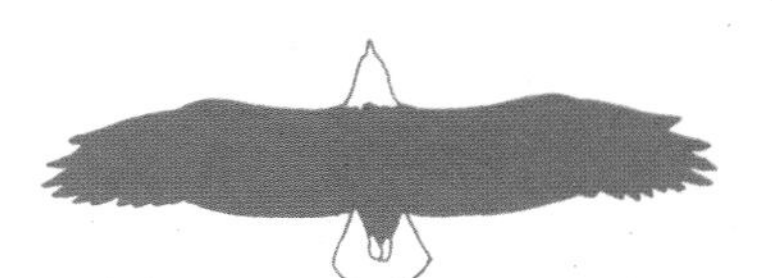

Pygargue à tête blanche

Ce jeune pygargue à tête blanche gardera son bec noir jusqu'à l'âge de trois ans environ, après quoi son bec prendra une belle couleur dorée.

Léger mais robuste

L'homme ne peut pas voler. Il y a plusieurs raisons à cela et l'une d'elles est son poids. Son corps est comme celui de la plupart des animaux, il est constitué d'os et de muscles massifs et il aurait beau agiter les bras, il serait bien trop lourd pour décoller du sol. Par contre, les oiseaux sont incroyablement légers pour leur taille et cela tient essentiellement au fait que leurs os sont creux. Si on pesait un aigle et un chien ayant à peu près la même taille, on verrait que l'aigle est beaucoup, mais alors beaucoup plus léger.

L'aigle est donc léger pour sa taille mais comme il transporte souvent son repas en plein vol, il faut également qu'il soit robuste. Son squelette lui-même doit être tout ce qu'il a de plus solide. C'est pourquoi de nombreux os de l'aigle sont renforcés par des côtes transversales, un peu comme les barres d'acier qui renforcent les gratte-ciel et les ponts.

Le squelette d'un aigle est très léger; il pèse à peine plus de 270 grammes.

Des plumes spécialisées

La prochaine fois que vous trouverez une plume par terre, observez-la bien et essayez de déterminer de quelle partie du corps de l'oiseau elle provient. Est-ce une plume de la queue? Une plume d'aile?

Les plumes qui recouvrent les ailes de l'aigle l'aident à voler. Certaines d'entre elles se chevauchent pour former une sorte de pagaie qui, à chaque battement d'aile, pousse l'air vers le bas et vers l'arrière. D'autres plumes peuvent s'écarter ou se relever pour accélérer le vol ou le ralentir.

Les plumes qui recouvrent le corps de l'aigle sont plus petites. Elles sont bien serrées les unes contre les autres pour donner à l'aigle une forme aérodynamique lui permettant de planer plus facilement.

Sous les plumes du corps, il y a une couche de petites plumes très légères qu'on appelle le duvet et qui servent à tenir le corps de l'aigle au chaud quand il fait froid. Lorsqu'il fait chaud, l'aigle ébouriffe ses plumes pour laisser échapper la chaleur de son corps.

Des bottes de plumes

Le corps de la plupart des aigles est entièrement couvert de plumes, à l'exception du bec et des pattes. Il existe toutefois une variété d'aigles dont les pattes sont elles aussi couvertes de plumes. À votre avis, comment peut-on bien appeler ces aigles?

C'est bien simple! Comme les plumes qui recouvrent leurs pattes font penser à des bottes, on les appelle des aigles bottés. L'aigle royal appartient à ce groupe.

L'aigle royal est plus farouche et plus difficile à approcher que le pygargue à tête blanche.

Des pattes adaptées au type de nourriture

Peut-être pensez-vous que vos orteils ne vous servent pas à grand-chose, mais une chose est certaine, ceux de l'aigle lui sont absolument indispensables.

Une patte d'aigle comporte quatre doigts, trois vers l'avant et un à l'arrière. Ce dernier peut venir toucher les trois autres, un peu comme le pouce peut aller toucher les autres doigts de la main.

Tous les aigles ont quatre doigts armés de redoutables serres, mais selon le genre d'animaux qu'ils chassent, leurs pattes peuvent présenter de légères différences. Par exemple, le pygargue à tête blanche se nourrit surtout de poissons. Ceux qui ont déjà essayé de tenir à la main un poisson qui frétille savent que cela n'est pas facile. Pour mieux cramponner leur proie, les doigts du pygargue à tête blanche sont pourvus de petites bosses rugueuses qui empêchent le poisson de glisser. Par contre, l'aigle royal chasse surtout de petits animaux. Ses doigts sont petits mais très puissants.

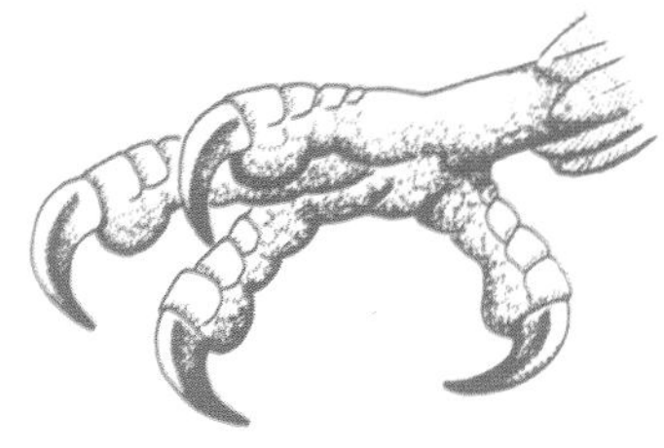

Les serres de l'aigle se referment si bien qu'il ne risque pas de tomber de son perchoir, même pendant son sommeil.

Le roi des airs

L'aigle peut planer pendant de longs moments sans donner le moindre coup d'aile. Comment s'y prend-il? Comme beaucoup d'autres grands oiseaux, il est passé maître dans l'art de se faire porter par les courants d'air ascendants. Il prend de l'altitude en se laissant entraîner par les courants d'air chaud qui montent du sol ou par les mouvements ascendants de l'air au-dessus des montagnes et autres formes de relief.

Un aigle peut s'élever de la sorte à plus de trois kilomètres d'altitude. Trois kilomètres, c'est rudement haut!

L'aigle n'est pas l'oiseau le plus rapide, mais lorsqu'il se laisse tomber en chute libre, il atteint tout de même une vitesse de 160 kilomètres à l'heure. Il se laisse souvent tomber en chute libre pour attaquer une proie sur le sol ou dans l'eau, mais parfois, on dirait qu'il fait ça comme ça, juste pour s'amuser.

L'aigle royal plane plus haut et plus souvent que le pygargue à tête blanche.

Des yeux d'aigle

L'aigle chasse le jour et il se sert de ses yeux pour repérer exactement sa proie. Les yeux de l'aigle sont orientés vers l'avant, tout comme les nôtres. Si vous, vous savez vers où tendre la main pour prendre un sandwich, l'aigle, lui, sait exactement où il doit se laisser tomber pour saisir sa proie. Cela est plus important qu'il n'y paraît car, contrairement à votre sandwich, le repas de l'aigle est souvent en mouvement.

L'aigle a une vue perçante. Il voit distinctement des objets lointains qui ne seraient pour vous que de vagues taches indistinctes ou que vous ne verriez même pas du tout. Certains naturalistes pensent qu'à trois kilomètres de distance, un aigle peut repérer un animal de la taille d'un lapin!

Grâce à sa vue perçante, l'aigle peut voler à haute altitude au-dessus des prairies, des forêts et des lacs et guetter le moindre mouvement au niveau du sol sans effrayer sa proie.

Page ci-contre:
Le pygargue à tête blanche n'est pas aussi féroce que son regard pourrait le laisser croire.

Des lunettes de sécurité

Vous est-il déjà arrivé de vous promener sur une plage ou dans un champ dénudé et poussiéreux par un jour de grand vent? Dans ce cas-là, que faire? Vaut-il mieux fermer les yeux et marcher à l'aveuglette, ou essayer de voir où on va...et avoir plein de sable et de poussière dans les yeux? L'aigle n'a pas ce problème. Il peut fermer les yeux et voir quand même où il va!

Les yeux de l'aigle sont des éléments très importants de son attirail de chasse. Sans eux, il risquerait de mourir de faim. C'est pourquoi ils sont protégés par trois paupières: une paupière inférieure et une paupière supérieure, bien sûr, plus une troisième paupière qui présente la particularité d'être transparente et de se déplacer horizontalement devant l'œil. Cette paupière s'appelle la membrane nictitante. Pendant son déplacement horizontal elle nettoie et humecte l'œil et elle peut complètement se fermer pour le protéger de la poussière et autres risques de blessure.

Page ci-contre:

On a du mal à le croire, mais les yeux de l'aigle sont plus grands que ceux de l'homme.

L'énigme des pelotes de régurgitation

Comme la plupart des oiseaux de proie, l'aigle n'est pas un mangeur délicat. Au lieu de soigneusement séparer la chair des os, il avale tout. Os, poils, plumes ou écailles, rien ne l'arrête!

Si nous en faisions autant, nous ne tarderions sûrement pas à tomber malade, mais l'aigle n'a pas de souci à se faire, son estomac se charge de faire le tri entre ce qui est nourrissant et ce qui ne l'est pas. Il rejette ensuite les débris qu'il ne peut pas digérer sous forme de boulettes dures qu'on appelle des pelotes de régurgitation. En analysant le contenu de ces pelotes, les ornithologues peuvent savoir ce que l'aigle a mangé.

Un festin de poissons

L'aigle est un animal solitaire. Généralement, il vole seul, ou avec sa femelle. Il arrive pourtant que des dizaines d'aigles se rassemblent. Non pas pour passer une soirée entre amis, mais pour pêcher! C'est comme ça, par exemple, qu'on peut voir des groupes de pygargues à tête blanche à proximité des rivières dans lesquelles les saumons vont frayer. Les saumons sont épuisés et sont des proies faciles pour les aigles.

Mais d'une manière générale, les aigles ont chacun un territoire dans lequel ils chassent leurs proies et font leurs nids. Ce territoire est plus ou moins grand selon que la nourriture y est abondante ou rare et selon qu'il offre de bonnes ou de mauvaises possibilités de construire des nids.

Un groupe de pêcheurs qui s'y connaissent.

Des nids énormes

Chez les aigles, le mâle et la femelle s'unissent pour la vie et ils s'accouplent au début du printemps. Normalement, la femelle pond ses œufs dans le même nid d'une année à l'autre.

Ce nid est constitué de branches entrelacées et patiemment réunies une par une. Une fois les gros travaux terminés, le nid est tapissé de brindilles, d'écorce, d'herbe et de feuilles. Le nid augmente de volume d'une année à l'autre et au bout d'un certain temps il est absolument énorme. On a trouvé un nid de pygargue à tête blanche qui mesurait près de six mètres de haut et de trois mètres de diamètre à sa partie supérieure. Et il pesait dans les 2 700 kilogrammes! Plus lourd que bien des voitures!

L'aigle fait son nid dans un endroit sûr et pratiquement inaccessible. L'aigle à tête blanche choisit souvent la cime d'un grand arbre, près de l'eau. L'aigle royal, lui, préfère les corniches de rochers en montagne. L'aigle construit souvent plusieurs nids sur son territoire mais il n'en utilise qu'un à la fois.

Page ci-contre:

Il n'est pas rare qu'un nid d'aigles survive à ses premiers propriétaires. Il arrive alors qu'un autre couple d'aigles vienne s'y installer.

Une petite famille

Les bébés aigles réclament beaucoup de soins, c'est pourquoi la femelle ne pond que de un à trois œufs à la fois. Elle n'aurait pas le temps de s'occuper d'une famille plus nombreuse. La mère couve les œufs de 28 à 35 jours. Pendant ce temps, le mâle reste à proximité du nid. C'est lui qui apporte à manger à la femelle et il lui arrive même de couver les œufs à son tour. Plus tard, lorsque les aiglons sont sortis de leur coquille, le mâle et la femelle passent la majeure partie de leur temps à s'occuper de leur petite famille.

Ce futur papa est très occupé: il doit trouver de la nourriture pour lui et pour sa femelle... Mais ce n'est rien à côté de ce qui l'attend quand les petits seront nés.

Une éclosion laborieuse

Souvent, au moment de l'éclosion des œufs, on entend des petits bruits bizarres dans le nid de l'aigle. Ce sont les aiglons qui gazouillent à l'intérieur des œufs.

Comme la plupart des animaux qui naissent dans des œufs, l'aiglon possède une «dent de l'œuf». C'est une sorte de pointe située sur son bec et dont il se sert pour briser la coquille de l'œuf. Une fois que l'aiglon est né, cette dent commence à se détacher, puis elle tombe.

L'éclosion est laborieuse. L'aiglon met parfois deux jours pour briser la coquille à coups de bec. Lorsque finalement il s'est libéré de l'œuf, il reste immobile, complètement épuisé par l'effort qu'il a dû fournir. Son corps est couvert de plumes duveteuses encore toutes mouillées par le liquide contenu dans l'œuf. Mais elles sèchent rapidement et les petites boules de duvet ne tardent pas à s'agiter maladroitement dans le nid.

Manger, gazouiller et dormir... les aiglons ne peuvent faire que ça.

L'heure du repas

C'est alors que commence une dure période pour les parents des aiglons. Ils ne tardent pas à s'apercevoir que ces petites boules de duvet blanc ont de gros estomacs. C'est auquel criera le plus fort pour réclamer à manger. On a l'impression que plus ils mangent et plus ils ont faim, si bien que pendant les dix semaines qui suivent, l'occupation des parents est toute trouvée: ils passent leur temps à se nourrir et à nourrir leurs petits.

Le père et la mère sont des parents attentionnés. Ils déchirent patiemment de petits morceaux de viande qu'ils donnent un à un à leurs petits. Ces morceaux de viande deviennent de plus en plus gros à mesure que les aiglons grandissent.

Jeunes aiglons.

Petit aiglon deviendra grand

À force de manger, l'aiglon grandit rapidement. Si bien qu'au bout de 45 jours, il pèse environ 40 fois plus qu'à sa naissance. Si un bébé grandissait aussi vite, à sept semaines il pèserait 130 kilogrammes! Mais les aiglons ne continuent pas à grandir à ce rythme, sinon ils seraient vite trop lourds pour voler!

En équilibre sur le bord de son nid, un aiglon de dix semaines bat bravement des ailes.

Adieu maman, adieu papa

À trois mois, les aiglons sont prêts à quitter le nid. Leur duvet a fait place à un plumage mieux adapté au vol. Avant de s'élancer dans les airs, ils s'entraînent à battre des ailes dans leur nid et ils observent bien leurs parents décoller et se poser pour voir comment ils font. Et puis, un jour, encouragés par leurs parents, ils s'élancent dans le vide et ils volent.

Avant la fin de l'été, les aiglons deviennent de redoutables chasseurs. Ils sont capables de se débrouiller tout seuls. Ceux qui hésitent encore à quitter le nid familial sont chassés par leurs parents. Dans un territoire, il n'y a pas assez de nourriture pour tout le monde. Les jeunes doivent aller tenter leur chance ailleurs.

Après avoir quitté le nid, les aiglons passent encore quelques semaines avec leurs parents. Ils en profitent pour se perfectionner dans l'art de chasser et de voler.

Un costume tout neuf

Jusqu'à l'âge de trois ou quatre ans, l'aigle royal et le pygargue à tête blanche ont un plumage marron et ils se ressemblent beaucoup.

Comme tous les oiseaux, l'aiglon change de plumage tous les ans. On dit qu'il mue. Lorsque le pygargue à tête blanche, mâle ou femelle, atteint quatre ans, sa tête et sa queue sont couvertes d'un magnifique plumage blanc.

Le plumage de l'aigle royal change également de couleur avec l'âge, mais pas autant que celui du pygargue à tête blanche. Son plumage garde sa couleur brun doré, mais les taches claires sous les ailes et la queue deviennent plus foncées.

Les aigles ont alors atteint l'âge adulte et ils sont prêts à fonder leur propre famille. Et, avec un peu de chance, ils pourront vivre 20 ans et élever de nombreux aiglons plus bruyants et plus affamés les uns que les autres.

Contrairement à ce qu'on pourrait penser, ce rapace n'est pas un aigle royal mais un jeune pygargue à tête blanche.

Glossaire

Aiglon Un petit aigle.

Accoupler(s') S'unir pour avoir des petits.

Couver Rester sur les œufs pour les tenir au chaud pendant que les petits se développent à l'intérieur.

Dent de l'œuf Pointe dure située sur le dessus du bec d'un aiglon et dont il se sert pour casser la coquille.

Duvet Petites plumes légères et très douces.

Éclore Sortir de l'œuf.

Membrane nictitante Troisième paupière transparente protégeant et nettoyant l'œil de l'aigle.

Muer Changer de plumage.

Ornithologue Personne qui étudie la vie des oiseaux.

Proie Animal qu'un autre animal chasse pour le dévorer. On appelle souvent les oiseaux qui chassent d'autres animaux pour se nourrir des oiseaux de proie.

Rapace Oiseau qui se nourrit de viande.

Serres Griffes d'un aigle, d'un hibou ou d'un autre oiseau de proie.

Territoire Espace habité par un animal ou un groupe d'animaux qui en interdisent souvent l'accès à des animaux de la même espèce.

INDEX

Couverture: Stephen J. Krasemann (Valan Photos)
Crédit des photographies: Dennis Schmidt (Valan Photos), pages 4, 15; Stephen J. Krasemann (Valan Photos), 7, 11, 16, 24, 28, 36, 43; Michel Bourque (Valan Photos), 20; David Ellis (Valan Photos), 23; Wilf Schurig (Valan Photos), 31; Esther Schmidt (Valan Photos), 34, 35, 39, 40, 46.

Imprimé en Espagne